U0054004

白羊座
的懷錶

④

作者
陳四月

繪畫
魂魂
SOUL

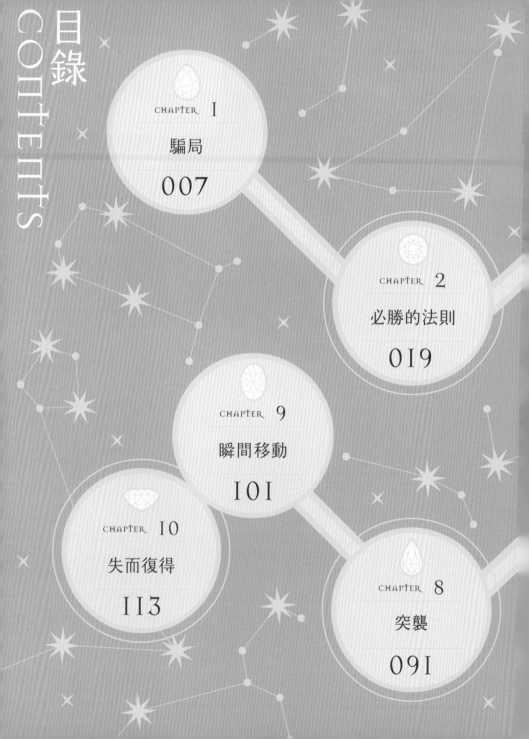

目錄
contents

潘娜恩 16歲

外表冰冷、沈默寡言。自小受到「詛咒」：被她雙手觸摸過的人都會遭遇不幸、惡運纏身。為免害人，她長期戴著黑色手套隔絕與他人接觸。

凌東 16歲

木無表情、口不對心的貼身保鏢。出生在戰亂地區的孤兒，從小接受訓練及培養成為傭兵，精通多國語言及槍械，對命令絕對服從。

薇芙 20歲

「芙蘿拉盜賊團」的團長，代號紅玫瑰。身手不凡，神出鬼沒，是在地下社會赫赫有名的女盜賊，特別鍾愛紅色和名貴珠寶。

莉莉 20歲

「芙蘿拉盜賊團」的成員，代號百合花，性格溫柔，待人親切，喜歡高貴漂亮的東西，是團中的開鎖專家。

星兒 20歲

「芙蘿拉盜賊團」的成員，代號滿天星，喜歡對別人冷嘲熱諷，熱愛購物，擅長製造炸彈。

華特先生 26歲

城中最大美術館「星河美術館」的館長，在眾人眼中是個偉大無私的慈善家；但他亦是穿梭於世界各地犯案的神秘怪盜——蒙面男爵。

況佑南 16歲

性格開朗率直，出生於武術世家；是個運動神經發達，極具正義感的陽光男孩。只要下定決心，便會奮力向前，不輕易放棄。

任北辰 26歲

擁有專業醫生資格，擅長烹飪和打理家頭細務，細心且樂於照顧別人，是個可靠的大哥哥。

西門學 12歲

害羞而且認生的電腦奇才，擁有製作機械人的技術和知識。喜歡獨處，不擅長與人交際，是個性格內向的小男孩。

露娜 12歲

蒙面男爵所收養的孖生姊妹中的姐姐。冷若冰霜、沈默寡言，酷愛甜食，智力和體能遠超同齡的人。

露比 12歲

露娜的孖生妹妹，活潑開朗，十分愛説話。擁有和姐姐相同的智力和體能，二人被安排和西門學同一班級，跟他有著密切關係。

上回提要

娜恩和四騎士拿到第三個聖物「獅子座的襟針」之後（她較早前還拿到了「水瓶座的魔法筆」和「雙魚座的魔笛」），被擁有「白羊座的懷錶」的芙蘿拉盜賊團捉走了……

今期聖物

白羊座的懷錶
追溯時間，能瞬間傳送使用者回到過去身處的位置。

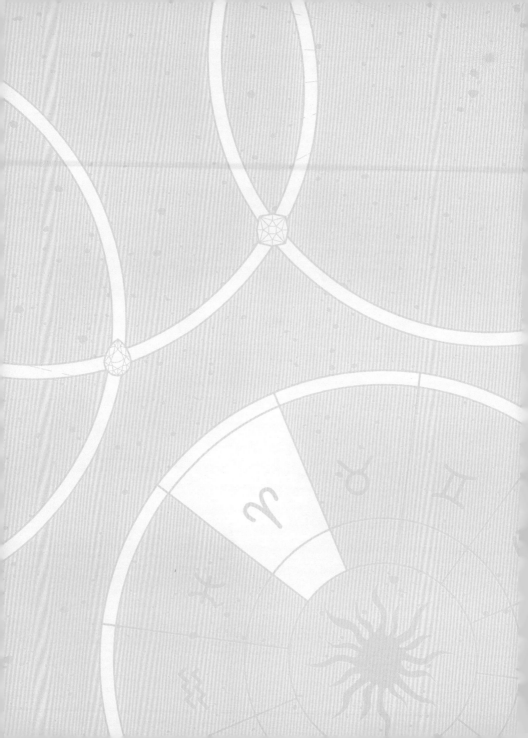

CHAPTER I

騙局

　　廣闊的草原無邊無際，有一座老舊的歐洲別墅坐落於這人跡罕至的地方。月黑風高的晚上，別墅內籠罩著緊張肅殺的氣氛，四騎士分別在不同位置嚴陣以待，為了救出他們發誓要守護的人。

「阿學，能確認小姐的位置嗎？」任北辰在屋頂上發號施令。

較早前，潘娜恩被「芙蘿拉盜賊團」從四騎士身邊捉走；這班在地下社會聲名遠播的大盜殺了四騎士一個措手不及，四騎士只能眼睜睜目送載著娜恩的熱氣球飄遠，束手無策。

「奇怪了……我找不到小姐，屋內更連一個人影也沒有。」西門學操控著無人機觀察別墅內部。

幸好阿學早有準備，在娜恩身上放置了衛星定位的追蹤裝置，經過夜以繼日，馬不停蹄的追趕，他們才能趕到信號顯示的位置。

「這別墅會不會有地下室？我們要在這裡監視多一會兒嗎？」況佑南在別墅後躲藏起來，生怕打草驚蛇，會危害到小姐的安全。

「還要等多久？拯救小姐是一秒鐘也不能耽誤的事！」凌東拔出手槍，從正面破門而入，他已沒有耐性再默默等待。

佑南立即配合凌東，務求在敵人作出任何反應前完成任務。

「沒有地下室……就算要反轉這裡，我也要把小姐找出來。」凌東以為娜恩已近在咫尺，他的情緒變得愈來愈激動。

「地板上積滿厚厚的灰塵，卻沒有其他人的腳印出現過。」佑南仔細檢查，別墅似是已空置了很長時間。

「但衛星定位顯示的位置明明是這裡。」阿學再三確認信號沒有錯誤。

「不用找了，我們中計了。」北辰一臉失望的

和眾人會合，他的手上拿著娜恩的其中一隻鞋子，

發出信號的裝置正藏在內裡。

「她們早就發現了被我們跟蹤，故意誤導我們

到這裡，讓我們白行一趟。」北辰無可奈何，「芙

蘿拉盜賊團」已成功爭取時間，逃到遠離四騎士

的地方。

「可惡！我們承諾過會好好保護小姐的！但我們卻一而再，再而三令小姐身陷險境！」怒不可遏的凌東自責著說。

「我相信小姐暫時不會有生命危險，否則『芙蘿拉盜賊團』只需要帶走聖物，沒有必要捉走小姐。」最年長的北辰表現冷靜，他必須保持頭腦清晰來指揮其餘三人。

「『芙蘿拉盜賊團』到底是什麼人？」在前往東方的列車上，佑南曾經和薇芙交手，對方的實力深不可測。

「她們是在地下社會十分活躍的盜賊團隊，除了對於金銀珠寶情有獨鍾外，更是專門接受盜竊委託的罪犯。」北辰比其餘三人更了解地下社會。

　　地下社會是指正常社會以外所隱藏的一個秘密社群，活於地下社會的成員以犯罪者居多。他們不接受世俗的眼光和約束，憑藉個人的特殊才能逍遙在法理之外，更有不少成員少聘於政要人物和權貴階層，為他們處理不能曝光的髒事。

　　「地下社會……關於它的存在，連我也找不到多少資料。」阿學從未聽過『芙蘿拉盜賊團』，就算翻查資料也只能撲個空。

　　「『芙蘿拉盜賊團』，還有什麼地下社會……既然是這麼神秘的團體，為什麼你會知道得這麼清楚？」凌東一直以來也覺得北辰神神祕祕，似是對大家有所隱瞞。

　　「任北辰……你到底是什麼人？」凌東把槍口瞄準北辰，被憤怒沖昏頭腦的他，把矛頭指向北辰。

「凌東，辰哥是自己人啊，難道現在是鬧內訌的時候嗎？」佑南信任著北辰，這段日子以來北辰就像個大哥般照顧他們的起居飲食。

「我也相信辰哥⋯⋯辰哥是不會背叛我們，不會置小姐於危險中的。」阿學的眼睛雪亮而且清澈，凌東看著他，慢慢回復平靜。

信任是靠相處累積已成的，北辰在守護千金的四騎士中，已成不可或缺的重要部分。

「對不起，是我失言了。」凌東回復往常應有的冷靜，這份冷靜在拯救娜恩的任務裡是必須的。

「謝謝你們，但我的確對你們有所隱瞞。」從一開始，北辰便懷著目的接近娜恩等人。

「我會把實情一五一十告訴你們的⋯⋯但現在最重要的，是找出小姐的下落。」和藹可親、平易

近人，任北辰一直以這樣的面貌示人。

「你有辦法找出小姐和那班盜賊嗎？」只要能提供娜恩的消息，就算是惡貫滿盈的殺人魔，凌東也願意相信。

「既然是受委托的盜賊，便一定會和委托人進行交收，只要調查出委托的對象，便能找出小姐。」北辰鮮有的露出冷峻的目光。

四騎士因一時鬆懈，而受到芙蘿拉盜賊團沉重的打擊，但他們必定會讓盜賊團付出代價，因為這班女士動了最不該動的東西，後果足以令紳士變成野獸。

　　同一時間的水上樂園，雖然現在已是晚上，但園內還是氣氛熱鬧，遊客們有的在長長的滑水道感受刺激的速度感，有的在泳池派對上勁歌熱舞，而「芙蘿拉盜賊團」的團長——薇芙亦身在其中。

　　穿著鮮紅色泳衣的薇芙躺在沙灘椅上，邊喝著香檳邊感受著她奢侈揮霍所得來的快樂。

　　「薇芙，我買了很多漂亮的衣服給你，這裡的購物中心真的超級大！」個子較小的星兒提著大包小包的購物袋。

　　「啊，買得愉快就好，反正我們很快便會得到一輩子也花不完的財富。」薇芙花錢從不手軟。

　　「你們不肚餓嗎？一起去吃自助餐吧？」莉莉剛和星兒一起購物，同行的還有被綁架到這裡的

潘娜恩。

「好！我回房間換好衣服，便去找你們。」薇芙伸了一個懶腰，每逢重要的工作結束後，她也會和團隊享受奢華的假期。

這裡是全世界最大的長途豪華郵輪「海王神號」，郵輪長達三百六十多米，寬六十六米，重量高達二十二萬噸，是迄今為止最大載客量的郵輪。

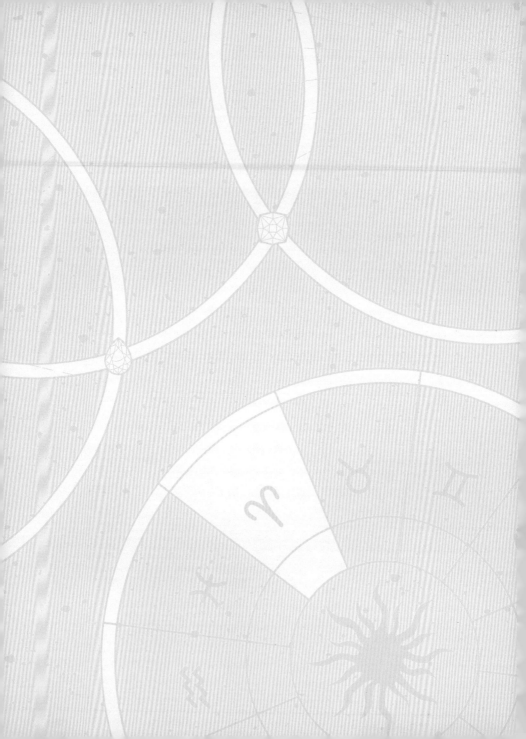

CHAPTER 2

必勝的法則

「海王神號」上的娛樂設施一應俱全：水上樂園、泳池、餐廳、購物中心、大型遊戲機中心、賭場等設施不在話下，就連住宿也是不下於五星級酒店的最高質素，所以「海王神號」的船票價值不菲，而且一票難求。

「怎麼了？食物不合你胃口嗎？」餐廳內，代號百合花的莉莉向不肯拿起餐具的娜恩問道。

自從被薇芙捉走後，娜恩便一言不發，滴水不沾。

「你是想把自己餓死，好讓我們不能利用你來交易吧？」薇芙換上紅色晚裝到場，代號紅玫瑰的她，衣著全都以玫瑰紅色為主，奪目耀眼的她總能成為人群中的焦點。

「人類不吃不喝至少也能活上三至七天啊，這段時間夠我們把你賣出去了，你真的要繼續幹這種蠢事嗎？」代號滿天星的星兒總是穿著活潑亮麗的紫色衣裳，她喜歡對別人冷嘲熱諷。

「是因為害怕，所以沒有食慾吧？」莉莉微笑著說，她是三人之中最平易近人的一個。

「我一點也不害怕，很快便會有人來營救我。」娜恩終於開口說話，她對四騎士充滿信心。

「你指那四個男生？他們恐怕還在草原上當迷途羔羊啊，誰會想到惡名昭彰的盜賊團會在大海中心，光明正大的享受著餐飲美點？」星兒面前擺滿各式甜點，她把甜點當成主食。

「我唯一想知道的，是誰僱用你們綁架我？」娜恩曾被伯父指派的人襲擊，但她相信這次的主謀另有其人。

「不向任何人透露僱主的身份，這是地下社會的第一條法則。」薇芙喝著和她十分相襯的紅酒。

「只不過娜恩啊……你問錯問題了，更重要的是為什麼有人要綁架你，他們想從你身上得到什

麼？」薇芙和其他盜賊團成員年齡也不過二十歲，她很欣賞比她更年輕的娜恩，在被綁架後也能如此鎮定，未曾表現出慌張。

「十二聖物……但聖物已落入你們手中，還有什麼是我忽略了？」娜恩的水瓶座魔法筆和獅子座的襟針都已被薇芙奪去。

「看來你很不了解自己的事呢，也不能怪你……畢竟你的父母一直把你放在溫室內培養，生怕一旦接近真相，就會毀掉他們辛苦栽種的鮮花。」薇芙竊笑著說。

「你別再信口開河，難道你又很了解我嗎？你又認識我的父母嗎？」薇芙輕蔑的態度令娜恩覺得十分討厭。

「雖然你是我綁架的對象，但能相識一場也是

種緣分，跟我來吧。」薇芙站了起來，她決定讓娜恩知道更多，包括娜恩父母對她隱瞞的事。

「我們不跟著她們不會有問題吧？」薇芙性格剛烈，莉莉擔心娜恩跟著她會吃上不少苦頭。

「由得她們吧，讓那大小姐吃點苦頭又有何不好呢？」星兒不會憐惜娜恩，盜賊團的女士們均是在殘酷的地下社會長大的。

餐廳底下的樓層是一個大型賭場，在這片不受任何國家管轄和支配的海域，法律也管束不了這裡紙醉金迷的客人。

「你知道所有賭博，也是建基於或然率之上嗎？世上沒有必勝或必敗的賭局，每一場賭博，也是一次隨機事件。」薇芙帶著娜恩走到其中一張賭桌，把現金兌換成二十個籌碼。

　　玩家正在參與骰寶賭大小的賭局，若三顆骰子的點數總和大於十，則投注「大」的玩家獲勝，若總和是四至九，則投注「小」的人獲勝。

　　「這和我們剛才的話題有什麼關係？」娜恩不明所以，接過薇芙提供的籌碼。

「下注吧。」薇芙笑著說。

三顆骰子點數相同的情況稱為「圍骰」，在這情況下，投注「大」和「小」的玩家均會輸掉投注，而無論投注在「大」或「小」的玩家勝出的機率也是 48.61%，非常接近於一半，是非常講求運氣的項目。

娜恩的第一次投注落在「大」之上，不出意外，結果骰子點數的總和果然是「小」。

「繼續。」薇芙不介意賭博的結果，她想向娜恩證實一件事。

十八盤賭局過後，娜恩輸掉了十八個籌碼，無論她投注在「大」還是「小」，開出的結果也是相反，現在娜恩手上只餘下最後兩個籌碼。

「繼續。」薇芙一點也不覺得意外。

「這樣的話，總有一個籌碼能贏吧。」娜恩分別在「大」與「小」之上各放一個籌碼。

三顆骰子的結果合共是九，娜恩還是輸掉了兩個籌碼，因為三顆骰子的點數也是「三」，在圍骰的情況下，「大」「小」皆輸。

「你明白了嗎？這就是你與別不同的地方。」薇芙指的是娜恩的厄運。

「我的確自小便運氣不好，但這又代表什麼？」娜恩以為薇芙是在恥笑和羞辱她。

「這不是偶然，而是必然呀，就算再玩多一百局，結果也是一樣的。」賭博是建基於或然率的遊戲，但只要有娜恩在，便能打破這法則。

「如果知道你一定會輸，投注在你的相反方向便一定會贏，這等於是必勝的法則。」薇芙接

著說。

「只要掌握你身上不可思議的力量，便能操控想要得到的結果。你的父親就是靠這方法操控市場，摧毀競爭對手，令星辰集團躍升為全球知名的大企業。」薇芙所言甚是，星辰集團在娜恩出生後發展得更順利、更成功，增長的速度絕非自然。

娜恩無法想像有多少企業在這過程成為了星辰集團的犧牲品，有多少家庭因此而變得支離破碎。

「所以在地下社會有不少人對你虎視眈眈，你身上的災厄不幸，對他們來說是無價的寶物呀。」薇芙這番說話，提醒了娜恩一件重要的事。

薇芙的說明結束後，她帶領娜恩乘坐升降機

回去酒店房間，星兒和莉莉已在房間等候。

　　只要用對方法，厄運也可以是強大的武器，娜恩更曾用這武器擊退蒙面男爵。

　　娜恩緊盯著薇芙的後背，現在走廊上只有她和薇芙二人，若回到房間面對三人看守，便再沒有逃脫的機會。

　　距離回到房間只餘不足二十米的距離，娜恩悄悄脫下右手的手套，只要像對付蒙面男爵般觸碰薇芙一下，就能製造出逃跑的機會。

　　娜恩鼓起勇氣向前伸出右手，但本應在她前面的薇芙卻消失不見。

　　「我奉勸你最好別打歪主意，我的買家只需要活生生的你，但沒有指明需要你四肢健全。」薇芙在神不知鬼不覺間已站在娜恩身後，她一手拿

著一個外觀獨特的懷錶，另一手拿著鋒利的小刀，架在娜恩的脖子前。

　　薇芙散發的殺氣令娜恩不寒而慄，她不只是「芙蘿拉盜賊團」的團長，更是其中一件十二聖物——「白羊座的懷錶」的持有人。

　　「而且郵輪正在大海中心航行啊，你又能逃到哪裡去呢？」薇芙時而威嚇，時而友善，是個性格難以觸摸的人。

　　雖然落入犯罪分子的手中，但起碼娜恩在被移交到買家手上之前是安全的，「芙蘿拉盜賊團」想要的是金錢，她們對娜恩身上的神秘力量不感興趣。

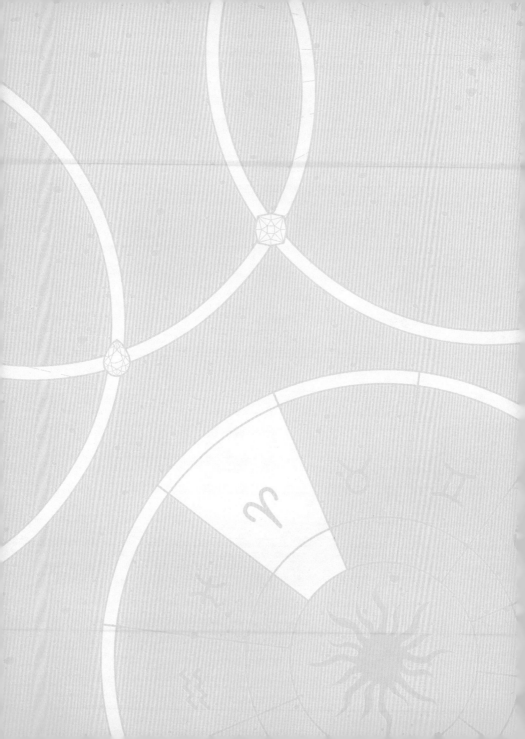

CHAPTER 3

任北辰的過去

　　任北辰帶著凌東等人去到唐樓舊區，要找出來去如風的「芙蘿拉盜賊團」的位置，他們需要尋求情報販子的協助。

「這裡是什麼地方？我能感受到我們被很不友善的目光監視著。」凌東渾身不自在。

「而且這條街上的⋯⋯全部都不是普通人。」自幼學習武術的佑南，一眼便能看出處於這條街道的人，全有著異於常人的身手。

「網絡信號⋯⋯受到干擾了。」阿學更發現平時使用的無線網絡失靈了。

「只要不和他們對視，他們便不會貿然對我們出手。這裡是奈落街，外界的網絡、規則，在這條街裡是不通用的，就連地圖也沒有紀錄它的存在。」北辰很熟悉這裡，帶領三人穿過隱蔽的幾條橫街窄巷。

在神秘的奈落街內，居住著外界不知道的奇人異事，只要付得起足夠的金額，他們願意提供

違規越法的服務。「芙蘿拉盜賊團」就是從這裡接受委託，所以要找出娜恩的下落，這裡就是最適合不過的地方。

「而我之所以這麼清楚，是因為我曾是這個世界的一分子。」北辰答應過告訴三人真相，所以把他們帶入這充滿危險的區域，讓他們親眼看清這世界的另一面，因為他們接下來要迎戰的對手，也是活躍在地下社會的人。

「所以我才找不到關於辰哥你的個人資料……就和調查蒙面男爵時的結果一模一樣。」阿學早已對北辰的身份有懷疑，但他選擇了相信他，每個人也有不想被人揭露的秘密或過去，西門學自己也一樣。

「因為我本來的名字並不是任北辰，這是我

離開地下社會後才建立的身份。」北辰在帶領三人走進他過去所屬的世界，同時揭露他不為人知的過去。

四年前的大雨夜裡，二十二歲的北辰遇上了改變人生的重要人物，那時候的他比起醫人，更擅長殺人。

「星婆婆，委託已完成了。」北辰透過星婆婆接受地下社會的委託，並以手機拍照傳送給她，確認工作進度。

這時候的北辰還未留長頭髮，雙目無神有如行屍走肉。

「你辛苦了，你的仇家正在找你，你自己要多加小心。」北辰辦事效率極高，在地下社會薄有名氣，但同時意味著他所得罪的人有很多。

剃人頭者，人亦剃其頭。這句話指別人會以其人之道，還治其人之身。殺人如麻的殺手，最終也會成為別人殺害的對象。

「是你殺了我們的老大吧？」北辰暗殺了黑手黨的頭目，成為他們的報復對象。

由於容貌曝光，北辰只好踏上四處逃亡的生涯，身負重傷的他去到歐洲的一個沿海小鎮，在滂沱大雨的夜晚，他乏力倒臥在海灘上，等待死亡降臨。

但北辰命不該絕，在他失去意識昏迷過去前，他看到一個牽著大白犬，棕色長頭髮的女生正向他走近。

「這裡是⋯⋯天堂嗎？」北辰再次醒來已是隔天的黃昏，沿海小鎮景色優美怡人，窗外一列列

藍頂白屋佇立，像極一個童話小鎮。

「汪！」大白犬壓在北辰胸口上，熱情的舔著
他的臉。

「雖然我不知道天堂有沒有狗，但我恐怕還在現實世界。」濕潤的臉和胸口上沉重的壓力，令北辰知道自己尚在人間。

「而且以我的所作所為，死後又怎會上天堂，而不是下地獄？」雙手染滿鮮血的北辰，早已生無可戀。

北辰不知道是誰救了他一命，但從四周圍的環境來看，他能確認對方是一位醫生。他偷偷收起了一把手術刀，殺手的本能，令他隨時隨地提高警覺。

「你醒來了嗎？真快啊，以你的傷勢，正常人最起碼要昏睡上三數天。」戴著帽子的女生兩手抱著一個大大的紙袋，內裡擺滿了新鮮的食材。

「汪汪！」大白犬飛撲向主人，女生被撲倒地

上，東西掉滿一地。

「白熊，我說過多少次不要這樣……你能冷靜一點嗎？」大白犬非常熱情，舔得女生的帽子也掉了下來。

「那個……你能幫幫我嗎？」女生狼狽的模樣，令北辰不知不覺放下了戒心。

北辰一言不發幫女生執拾食材，女生主動開口和他說話。

「我叫任璉娜，你呢？」璉娜常傻呼呼的笑著，明明比北辰年長五歲的璉娜，卻散發著稚嫩的氣息。

「北極……北……北辰。」北辰不想提起自己的名字，看著長得像北極熊的大白犬，便隨便取了一個和北極有關的名字。

北辰代表著北極星，是天空中最亮的恆星之一，由於它和地球的距離很接近，所以不會像其他星星般在天空中移動，像顆忠誠不二的守護星。

回到「奈落街」，北辰等人還在左曲右迴的窄巷前往目的地，星婆婆的古董店被燒毀後轉移到更隱蔽的地方開業。

「小姐正危在旦夕……你竟然還在跟我們訴説你過去的愛情故事？」心急如焚的凌東抱怨起來。

「原來辰哥不只是個殺手，還是個大情聖。」佑南不知道該為哪一點覺得驚訝。

「不不不！你們搞錯重點了……這故事不只是

我的過去，還關乎我為什麼來到小姐身邊。」北辰慌張的樣子，令人難以想像他曾是殺人如麻的殺手。

　　愛情的確能徹底改變一個人，無論是變好，還是變壞。「任北辰」的出現是因為愛情，但他的愛情故事，沒有以甜蜜的結局告終。

CHAPTER 4

幸福的時光

　　在沿海小鎮的日子裡，北辰隱姓埋名過上新生活，任璉娜沒有過問他的過去，更收留他在白色小屋一起生活。

「你們小心一點，別再弄得皮破血流呀！」經營小診所的璉娜很受居民歡迎，好動的孩子們運動受傷後常來包紮傷口。

「謝謝任醫生！」璉娜提供非常價廉的服務，無論大人還是小孩也很感激這個外來的居民，她和北辰一樣是突然出現，並在這裡定居的人。

「璉娜，我們回來了。」北辰每天會替璉娜到市場購買食材和日用品，同時帶白熊出外散步。

「今天應該沒有其他診症了……不如早點關門休息吧！」璉娜很喜歡這裡的生活節奏，日出而作、日入而息，每天過得輕鬆快活。

「你不怕沒有足夠收入繳付房租嗎？」北辰知道璉娜來自於和他一樣的城市，但對於雙方的過

去，他們也儘量不會過問。

「我肚餓了，你煮飯吧！我要吃上一次我教你製作的燉飯。」北辰的烹飪技巧師承自璉娜。

「好吧……關於房租，其實我能……」北辰話未説完已被璉娜制止。

「不用啦！大姐姐我其實很富有的，但你別四處張揚啊！」璉娜挽著北辰牽住白熊，兩人一狗在金黃的夕陽下踏上回家的道路。

這是北辰第一次覺得有「家」可歸，過去他當殺手因為他沒有其他選擇，除了殺戮，他什麼也不會。

「白熊你別跑這麼快啦！我會跌倒的！」但就算北辰什麼也不會，璉娜也願意留他在身邊。

「哈……你一點也不像個大姐姐。」不知不覺

中，北辰的眼神中有了光彩，在這裡的每一天也過得幸福快樂。

而北辰亦開始留長了頭髮，戴上了眼鏡，以新的名字過上新的人生，璉娜的笑臉感染了北辰，而且改變了北辰。

「記得準時吃藥，病情很快便會好轉。」除了烹飪外，北辰還向璉娜學習了醫術，分擔為小鎮居民治病的工作。

「似模似樣啊！來，穿上這大衣後便更像一個醫生了。」璉娜特別為北辰訂製了白色的長袍，現在的北辰和初相識時已判若兩人。

「璉娜姐姐和北辰哥哥像極一對夫妻啊！」居民都覺得他們是天作之合。

「你們再耍嘴皮的話，小心我把你們的嘴巴用

針線縫上啊！」璉娜嘴上說不，但和北辰朝夕相對，對他漸生情愫。

夏夜裡晚風輕吹，北辰和璉娜在海灘上漫步，知情識趣的白熊快步的跑遠，為兩人提供獨處的機會。

「你來到這裡已快四年了吧？要大姐姐我幫你辦慶祝派對嗎？」這裡是璉娜和北辰邂逅的地方。

「我在你身上已獲得很多重要的東西了，每天也像在派對之中。」北辰不敢奢求更多，唯獨一件事他想向璉娜提出。

「就算不辦派對，至少該有一份禮物吧？你有什麼想要的東西嗎？」璉娜不知道北辰的喜好，因為他對所有事物也表現得感恩。

如果有一個能留住時間的魔法懷錶，北辰會毫不猶豫把時間定格在這一刻，幸福的時光總是過得特別快，快得令人措手不及，快得令人後悔莫及。

奈落街裡，四騎士終於到達目的地，星婆婆的新店不再是古董店，大門打開時四騎士也嚇了一跳。

「主人，歡迎光臨！」穿著女僕服裝的侍應整齊排列，笑容可掬。

「女僕咖啡廳？」純情而且正直的佑南漲紅了臉，阿學更是害羞得躲到他的身後。

「小姐正身處水深火熱之中，你竟然帶我們來這樣的地方？」凌東感到既氣憤又意外。

「又是你？退隱的殺手是不適合常常出現在這條街道的，這次你還帶著和地下社會無關的小毛孩……你的腦子到底在想什麼？」星婆婆再次以年約十歲的姿態示人，在這咖啡廳裡，誰也想不到她會是資歷豐富的情報販子。

「小毛孩是指我們嗎？」佑南聽得一頭霧水。

「星婆婆，形勢十萬火急，我必須儘快找到『芙蘿拉盜賊團』的下落。」北辰認真的說。

「你以為那班女賊是這麼容易找到的嗎？」星婆婆冷冷的說。

「星婆婆……她就是能幫我們找到小姐的人嗎？」凌東目露兇光，似是要把人活剝生吞。

「凌東，休得無禮！」眼見凌東有所動作，北辰擔心他會作出魯莽的舉動。

北辰還未來得及制止，凌東的行為卻令在場的人大感意外。

「只要能找到小姐，無論付出什麼代價我也在所不計。」凌東沒有訴諸暴力，而是向星婆婆低頭下跪。

有些時候，比起威逼利誘，真誠的態度更能打動人心。

「你這個小毛孩又能付出什麼有價值的代價……」星婆婆走到餐桌上，拿出墨水筆在餐巾上寫寫畫畫。

「拿去吧，別讓這些不屬於地下社會的孩子愈踩愈深。」星婆婆把寫下地址的餐巾交到北辰手上。

「謝謝你。」北辰拿出五芒星金幣,這是地下社會獨有的通用貨幣。

「你留著吧……」星婆婆知道北辰手上的五芒星金幣已所剩無幾,他已脫離這世界太久。

凌東的真誠順利換來寶貴的情報,四騎士立即啟程前往娜恩將會到達的地方,芙蘿拉與四騎士終將大戰一場。

「能令大名鼎鼎的蒙面男爵特別照顧,星辰集團的千金到底和你有什麼關係?」星婆婆轉身望向儲物室。

「這可是個很昂貴的情報啊,星婆婆你還是不要知道比較好。」蒙面男爵步出儲物室,「芙蘿拉盜賊團」的動向,原來是由他調查得來的。

蒙面男爵早已預料到四騎士會來這裡向星婆

婆詢問娜恩的線索，是他暗中把調查結果分享給

星婆婆，再藉此轉告四騎士。

CHAPTER 5

逃亡

　　黑夜的城市被熊熊燃燒的火焰照亮，人們的悲鳴嚎叫教聽者痛徹心扉，空氣中瀰漫著焦苦惡臭，烏黑長髮的女生看著生靈塗炭卻沒有傷感難過。

「這……到底是？」潘娜恩看著這人間地獄一時語塞。

「這是命運。」女生背對著娜恩指向上空,威力足以摧毀一個城市的洲際導彈一發接一發射向高空。

「既是我的命運,也是你的命運。」女生轉身望向娜恩,娜恩感覺到心臟驟停,像胸口被掏空,保持呼吸也十分困難。

「你……你是？」娜恩說出每一句話也要費盡力氣。

「我是不可抗力的存在……是你無法避免的未來。」女生說著娜恩無法理解的話語,走得和娜恩愈來愈近。

「不……不要!」娜恩動彈不得,只能眼睜睜看著女生爬進她的體內。

　　娜恩在床上驚醒過來，她的驚叫聲吵醒了睡在同一房間內的莉莉。

　　「潘小姐，發惡夢了嗎？」莉莉為娜恩奉上一杯暖開水，就算娜恩是階下之囚，她也照顧得無微不至。

　　自從接觸過十二聖物後，娜恩發夢的次數愈來愈多，而且夢境的真實感愈來愈強。

　　「謝謝……」娜恩滿頭大汗，恐懼的餘悸還未退散。

　　「連日來面對著態度飄忽的薇芙和說話刻薄的星兒，你一定感到很大壓力吧？」莉莉給娜恩的感覺，不似一個心腸惡毒的罪犯。

　　娜恩把開水一口喝盡，她一直在想辦法逃離「芙蘿拉盜賊團」的魔爪，但她的手機早已被沒

收，想要通知四騎士她身處的地方也無法做到。

「不如就讓我帶你去好好放鬆一下吧，畢竟我們在這郵輪的時間已所剩無多了。」莉莉溫柔親切，娜恩相信和她一起行動，最能找到逃走的機會。

飛機的頭等機艙內，四騎士正前往下一個目的地，如果星婆婆提供的地址沒有錯，委托「芙蘿拉盜賊團」的人將會在那裡接收娜恩。

「那麼……你為什麼會千里迢迢來保護小姐？你和璉娜最後怎樣了？」路途遙遠，無所事事的佑南想知道北辰的故事是怎樣結束的。

「快樂的日子過得特別快，我們當時著眼於活在當下，沒有留意到過去的威脅已不動聲色地靠近。」北辰看著窗外，昔日的情境，他還記憶猶新。

就在北辰和璉娜交往不久之後的一個晚上，北辰在回家的路上意識到不對勁，晚上的小鎮雖然平靜，但這晚比往常多了一股令人窒息的壓迫感。

「找到了，我們家族的仇人。」和北辰有過節的黑手黨家族沒有停止對他的追殺。

北辰最不想發生的事還是發生了，穿著筆直黑西裝和戴黑色禮帽的黑手黨成員蜂擁而上，多少無辜的居民在他們搜尋北辰的過程中已命喪黃泉。

「璉娜……」北辰亮出鋒利的手術刀，沒有一絲猶豫直擊敵人要害。

再多的敵人也不敵殺紅了眼的北辰，他以最快的速度和手段，清理所有破壞他美好生活的垢物。

「拜托，璉娜你一定要平安……」北辰戰戰兢兢的回到家門前，家門竟然沒有關好。

北辰步入家裡，白熊已失血過多倒地不起，躺在牠身旁的黑手黨成員也是一樣。

「璉娜，我們要快點離開這裡。」握住手槍的璉娜還在瑟瑟發抖，北辰把她擁入懷中她才回復過來。

北辰把以前是殺手的身份告知璉娜，痛失愛犬的璉娜還未有時間哀悼，便要作出影響終生的

決定。

追殺北辰的人不會就此放棄，是跟隨北辰浪跡天涯，還是兩人各走各路，璉娜不消片刻便有了答案。

璉娜揭開地氈，把其中一塊木板撬開後，一幅舊相片和一個懷錶映入北辰的眼簾，璉娜拿上這兩件物件後便和北辰遠離這個地方。

「要你放棄一切，和我遠走高飛，你不會後悔嗎？」北辰帶著璉娜坐上火車，他們也不知道逃到哪裡才是最安全的地方。

「嗯！不後悔。」璉娜不但沒有介意北辰的過去，還為他放棄了原有的安定生活。

「那……請你嫁給我好嗎？」北辰取出早已預備好的求婚戒指，並向璉娜單膝下跪。

是的，璉娜熟知了北辰的過去，但對璉娜的身世，北辰又知道多少？

「我願意。」璉娜答應了，她的笑容是北辰的救贖，北辰小心翼翼的為璉娜戴上婚戒，生怕稍稍用力便會弄傷她溫軟的手。

從此以後，北辰用了璉娜的姓氏，以任璉娜的丈夫——任北辰這新身份過活，但這亦是北辰和璉娜最後的一段快樂回憶。

逃亡的日子是非常折磨的，北辰必須無時無刻打醒十二分精神，每一個接近他們的人，留意他們的目光，都會令北辰起疑心。

「我們是不是被發現了？黑手黨的人是不是追蹤到這城市了？」北辰反覆思考，只要觸動到他敏銳的神經，他便會和璉娜連夜趕路，去下一個城市。

然而，提心吊膽的除了北辰外，璉娜也表現出和以往不同的焦慮，每轉移到一個新的地方，她也會秘密通知某一個人。

「星婆婆，請你把我的死訊傳開。」為了安全起見，北辰獨自去古董店找星婆婆，希望透過情報販子神通廣大的力量，令地下社會確信他已不在人世。

「是一個怎樣的人，能令你放棄過去的人生呢？」星婆婆從北辰手上的婚戒，看出他已找到終身伴侶。

　「是一個令我想生存下去，永遠守護的人。」
北辰誠懇的說。

　「我不能擔保有多少人會相信，你自己好自為
之吧。」星婆婆希望這會是和北辰最後一次見面，
可惜她的希望很快便落空。

　待北辰回到和璉娜共住的地方時，璉娜經已
一命嗚呼。

　「不會的……不是真的。」北辰無法接受，他
只不過離開了不足一天，璉娜經已永遠離開了人
世。

　璉娜的死因，是被利器刺穿心臟，家中沒有
被闖入和打鬥的痕跡，就像兇手和璉娜是互相認
識。北辰找遍家中，除了璉娜藏在地板下的懷錶
不翼而飛外，再沒有其他東西遺失。

沈浸在悲痛之中的
北辰腦海一片空白，黑
手黨不可能這麼快便發現
他們的藏身地點，他對真
兇的身份沒有任何線索，直至一封寄給任璉娜的
信件出現。

CHAPTER 6

復仇的守護者

　　郵輪上的購物中心，百合花莉莉帶娜恩去到一間高級時裝店，她愉快的為娜恩挑選了幾套高貴的晚裝，還替娜恩選了亮麗的水晶高跟鞋。

「薇芙扔了你的鞋子後，你便一直被迫穿著不合尺碼的鞋子，現在我終於有機會替你選一對跟你合襯的高跟鞋了。」莉莉盛意拳拳，令娜恩有點難為情。

「我很感謝你的一番好意，但我不習慣穿這麼高的鞋子。」娜恩委婉的說。

「唯有這麼高貴的鞋子，才符合你獨特的氣質⋯⋯加上今晚是一個重要的日子，你必須以最佳姿態示人。」莉莉看著鏡子中的娜恩，為她整理衣服，就像在裝飾美麗的鮮花。

「今晚？」娜恩問。

「我啊⋯⋯真的很喜歡高貴漂亮的東西，要把你賣出去我實在於心不忍。」莉莉忍耐著不去觸摸娜恩會召來厄運的身體。

郵輪快要到達目的地，「芙蘿拉盜賊團」將會把娜恩交到買家手上，到時候娜恩的人身安全便沒有保障。

「但是薇芙的決定是不容反對的。」莉莉惋惜的說。

較早之前，莉莉曾經和薇芙發生過爭執。

「我們的目標本來就只有聖物，潘小姐的出現本來就不在計劃之內……。」除了「獅子座的襟針」外，莉莉等人還從娜恩手上奪去「水瓶座的魔法筆」，再加上薇芙現在的「白羊座的懷錶」，她們已持有三件擁有神奇力量的十二聖物。

「我們的計劃就是拿著一輩子花不完的財富，然後金盤洗手，從此過著凡人無法想像的奢華生活，這一點從來沒有改變。」薇芙當初建立這盜賊團，就是為了和兩位青梅竹馬的好姐妹一起改變人生。

薇芙、莉莉和星兒是在「奈落街」長大的孤兒，她們被遺棄在充斥罪惡的街道，被專門培養小偷的人拾回去一個環境惡劣的工廠養大。

「賣掉兩件聖物所得到的金錢不是已很足夠了嗎？潘小姐落入那些人手中，下場一定會很淒涼……」莉莉於心不忍。

「那又如何？她是個含著金鎖匙出生的富家千金，和我們相比，她身上的不幸算得上什麼？為什麼她有專人來守護，而我們卻為了一塊麵包而

要被人拳打腳踢？」薇芙等人和娜恩的出身有著天淵之別，為了討好撫養她們的人不得不出外偷竊，好幾次被人發現後差點失去性命。

「我只是覺得……我們可以放潘小姐一馬。」莉莉沒法說服氣敗壞的薇芙。

「潘娜恩一個人的價值，比兩件聖物加起來更高，哪有放她一馬的道理？」薇芙的反問，令莉莉無言以對。

「這世界很快便會因為十二聖物和她身上的力量而變得無比混亂，但這些都與我無關，我要確保的就只有我們三個的生活。」薇芙不只把團員當成合作夥伴，她更把莉莉和星兒視為家人。

「我們不是英雄，我們只不過是小偷。」只要交易完成，薇芙和其餘兩人便能分得享之不盡的

財富，娜恩的價值連她自己也嚴重低估。

　　娜恩的處境變得愈來愈危險，郵輪距離目的地經已不遠，而今晚就是「芙蘿拉盜賊團」進行交易的日子。

　　火車快要到達目的地，任北辰的故事也接近尾聲。

　　「是老爺寄給我們的那封信。」凌東猜到答案。

　　「對，我並不認識潘老爺，他的信是寄給任璉娜，而不是任北辰的。」北辰偽造了信件，代替璉娜來到娜恩的身邊。

　　「為什麼你要代替她呢？」佑南問。

「因為我要找出殺害璉娜的兇手。」北辰不是個及格的守護者，但他仍然是個實力超群的殺手。

「我從來沒有向任何人透露過我們的住處，但潘老爺和兇手卻一清二楚。然而老爺並不知道璉娜的死訊，所以兇手不會是他，而是他和璉娜共同認識的人。」北辰拿出璉娜留下的一幅舊照片，它和地下室內的大合照是一模一樣的。

「雖然我不排除兇手會從地下社會買兇殺人，但亦有很高可能性……這個兇手是這幅照片之中的其中一個人。」北辰的話令凌東、佑南和阿學不寒而慄，和他們關係密切的人也在照片之中。

「然後我再調查潘老爺的背景，知道了十二聖物和考古團隊的存在……起初我也只是半信半疑，但我和你們一同見證了聖物不可思議的力量，這令我更確信兇手是為了聖物而殺死璉娜。」北辰事後才發現，原來娜璉被偷走的懷錶，很可能是十二聖物之一。

「你……沒有其他事情向我們隱瞞嗎？」凌東能聽出北辰的說話沒有一句是謊言。

「除了找出兇手外，我是真心希望替小姐集齊十二件聖物的，因為我相信當中一定會存在能令

死者復生的聖物。到時候我希望能借助聖物的力量，和璉娜團聚。」北辰選擇向三人坦白，希望得到他們的信任。

「我衷心希望辰哥你能願望成真。」佑南為北辰的故事感到難過。

「但是⋯⋯如果真的是照片裡的其中一個人，殺害了辰哥的妻子⋯⋯」阿學不敢繼續想像。

「我會毫不猶豫的把他殺死，無論他是對你們有多重要的人。」在北辰訴說往事的期間只流露出甜蜜和難過的表情，唯獨現在他的眼裡是充滿著憎恨。

飛機終於抵達目的地，四騎士和娜恩的距離愈來愈接近，要救出娜恩他們必須打醒十二分精神，但自從聽了北辰的故事後，西門學便顯得神情恍惚。

CHAPTER 7

罪惡之城

　　「海王神號」停泊到港口，盛裝打扮的「芙蘿拉盜賊團」和娜恩一上岸便有人前來迎接，大批穿著黑西裝佩戴黑色禮帽的男人已恭候多時，他們都是在這城市勢力雄厚的黑手黨成員。

「芙蘿拉的女士們，我們的老大已恭候多時，請。」男人打開豪華長轎車的車門，恭恭敬敬的說。

「招待得真周到，姐妹們，上車吧。」黑手黨把她們當作上賓招待，薇芙滿意的坐上轎車。

誰也想不到薇芙她們曾經在「奈落街」裡，過著窮困潦倒、連一飯一宿也沒有保障的生活。但這些都已成過去，只要把娜恩交到黑手黨頭目的手上，她們每天也可以有專人服侍，坐著最名貴的車，過最令人羨慕的生活。

「看你堅定的眼神，該不會到現在還以為那四個男生會來拯救你吧？」薇芙得意洋洋的笑著，享之不盡的財富快要到手。

「在你們的生命裡，沒有能信任的人對吧？」娜恩的眼裡沒有一絲恐懼。

「你到底想說什麼？」薇芙討厭娜恩的這份從容，面對這種困境，娜恩應該哭泣求饒才對。

「我很同情你們……在你們陷入困境，需要幫助的時候，如果有人願意不求回報挺身而出，哪怕只有一個……一個也好，你們也不會踏上歪路，誤入歧途。」而娜恩身邊有四個這樣的守護者。

「臭丫頭……我們既不需要同情，也不需要幫助，我們需要的就只有把你賣掉！」薇芙老羞成怒的說。

豪華轎車在另外三輛車的保護下駛向目的地，而同一時間，四騎士也剛從飛機降落，當他們看到迎接他們的人時，無不露出驚訝的表情。

「歡迎蒞臨罪惡之城！這裡是黑手黨支配的城市，是罪犯的天堂！」身穿禮服的蒙面男爵再次

出現在四騎士面前。

蒙面男爵不再以華特自居，因為在這充滿罪惡的城市，蒙面男爵不用再掩飾身份。

「你在這裡幹什麼？該不會⋯⋯你就是綁架小姐的主謀吧？」凌東目露兇光，隨時準備和蒙面男爵大打一場。

「不⋯⋯他和小姐有言在先，達成了合作關係。星婆婆給我的地址，是你提供的嗎？」無論在人魚島上，還是旭日城的情報，蒙面男爵也向北辰等人釋出善意，而知道四騎士會來這裡的人只有星婆婆。

「正確！在地下社會打滾過的人果然特別精明！我是來履行承諾的，既然我和娜恩是合作夥伴，夥伴有難，我當然有義務出手相助。」就連北

辰的真正身份，也瞞不過蒙面男爵，幸好神通廣大的蒙面男爵這次不是他們的對手。

「男爵，是時候出發了，小偷們已開始移動。」蕾安娜在長轎車上叫喊。

「阿學！快上車，我們要去捉小偷了！」孖生姊妹中的妹妹露比興奮雀躍，姐姐露娜比她冷靜得多。

不只蒙面男爵，男爵的親衛隊也在等候四騎士，這一次他們有著共同的目標。

「師姐……」佑南有很多問題想問在駕駛席上的蕾安娜，但現在最重要的是拯救娜恩。

「我們已經沒有時間繼續猶豫了，上車吧。」北辰知道現在必須爭分奪秒。

昔日的對手變成今日的隊友，四騎士和蒙面

男爵締結同盟，目標是重奪被搶走的聖物和救出被綁架的娜恩。

———————————

　　載著娜恩的豪華轎車和隨行車隊率先到達目的地，「黑星大酒店」是黑手黨的其中一個大本營，他們的現任老大不只做非法買賣，合法的業務同樣遍佈整個城市。

　　酒店裝潢瑰麗堂皇，大堂上方吊著的水晶燈閃閃生輝，這裡選用的每一件家具也是名師設計的高價品。

　　「薇芙小姐和潘小姐，請。」隨行的男人攔住了莉莉和星兒，只讓兩人搭乘直接前往總統套房

的升降機。

「為什麼不讓我們跟隨？」星兒不滿的説。

「老大吩咐過只接待兩人，請你們耐心在大堂守候。」不只隨行的男人是黑手黨的成員，酒店內每一個接待員也不是善男信女，身手了得。

「莉莉、星兒，你們留在這裡，我很快便會帶著滿滿的鈔票回來。」薇芙昂然踏入升降機，娜恩緊隨其後。

升降機直上頂樓的總統套房，期間不會停在其他樓層，而升降機內只有娜恩和薇芙，娜恩決定提出她心裡的疑問。

「你真的認為這些無惡不作的罪犯，會遵守承諾交出鉅款嗎？」娜恩氣定神閒的問。

「你不用再浪費唇舌了……事到如今，已經沒

有人能救你出去，就算那四個男生來到也不會例外。」薇芙認為娜恩只是在作無謂的掙扎。

「不，我很確定這裡的人不會傷害我，因為他們需要我的力量。」娜恩無比冷靜，因為她看清了局勢。

「但你和你的團員呢？一旦把聖物和我交出去後，你們便再沒有利用價值。他們真的會放任你們帶著那筆鉅款安然離開嗎？」娜恩雖然不是地下社會的人，但她深深明白當中的法則。

「我自有打算……」薇芙小看了娜恩，自從踏上尋找聖物的旅途，娜恩一直在成長，變得更堅強。

升降機門打開，總統套房面積佔了整個頂樓，為數不少的保鑣嚴陣以待，他們的頭目正在享用

擺滿一席圓桌的晚餐。

「芙蘿拉的紅玫瑰和星辰集團的災厄千金⋯⋯歡迎來到我的王國,我是盧卡。」統領城中最大黑手黨的盧卡,是個身形肥胖的巨漢,在他龐大的身影前,薇芙和娜恩都只像個小娃娃。

CHAPTER 8

突襲

「黑星大酒店」的頂層總統套房，娜恩和薇芙面對著七呎高的巨人不敢發出聲響，生怕一旦激怒這龐然大物便會被他捏碎。

娜恩深呼吸了一口氣，平定氣息後率先坐下，表現比起薇芙更要從容不迫。

「你的目標是我，現在你已得償所願，能否回答我一個問題？」娜恩緊瞪著盧卡的大臉，絲毫不表現出畏縮。

「潘小姐有什麼想知道呢？」盧卡問。

「是你殺害了我的父母嗎？」娜恩的父母死於非命，兇手仍然逍遙法外。

娜恩掌握的線索，就只有兇手渴望得到十二聖物和她身上的力量，而眼前的盧卡符合了這兩個條件。

「原來你還在找父母遇害的真相嗎？很抱歉，我和你雙親的死沒有任何關係。」可惜盧卡並不是真兇。

盧卡的注意力都集中在娜恩身上，薇芙對此十分不滿，她可是冒著生命危險前來交易。

「我已按照約定把你想要的東西帶來，是時候完成我們之間的交易了吧？」薇芙交出兩個透明盒子，內裡分別存放著「水瓶座的魔法筆」和「獅子座的襟針」。

盧卡的手下拿出一個儀器接近聖物，它的設計和娜恩在旭日城所見過的手提燈十分相似，當儀器接近聖物，聖物便會發出不可思議的光芒。

「這裡沒有你的事了。」盧卡抽起兩個裝滿了鈔票的大旅行袋，拋到薇芙面前。

薇芙夢寐以求的財富，對盧卡而言不過是唾手可得的白紙，他根本沒有暗算薇芙的打算，因為她連被盧卡正視的資格也沒有，盧卡的眼睛從未在娜恩的身上移開。

「那麼我們繼續吧，潘小姐。」盧卡就這樣打

發薇芙離開，薇芙拿著旅行袋走進升降機，這和她想像的不一樣。

薇芙得到榮華富貴，但她沒有得到尊重，就算有再多的財富，她依然只是個小偷。

升降機回到大堂，莉莉和星兒看到薇芙手上巨大的旅行袋才鬆一口氣，她們已達成目的，可以功成身退。

酒店的自動門敞開，酒店大堂的服務員全都聚焦過去，因為今晚本應不會有任何客人。

「敝酒店今晚不對外開放，客人請回吧。」服務員話語剛落，便被北辰的手刀打昏。

「是殺死上任老大的仇人……抓住他！」北辰的樣貌馬上被人認出，外界對他的死訊早已存疑。

「各位，開始行動吧。」北辰長袍底下掛著無

數小刀，這是他首次展示自己的真本領。

北辰擲出的飛刀速度快如閃電，多個黑手黨成員未來得及反應已被擊中。

「不對外開放，即是在場的全都是壞蛋，可以不用手下留情吧？」凌東雙手各持一把手槍。

凌東雖然沒有換上真槍實彈，但經過阿學的改造，橡膠子彈的威力已大幅上升，四騎士要在愈來愈可怕的敵人手上保護娜恩，武力的強化是必要的事。

「來一場盛大的派對吧！」蒙面男爵高聲笑著，開始把玩手中的撲克牌。

蒙面男爵的撲克也非比尋常，邊緣鋒利無比令黑手黨成員吃盡苦頭。

凌東、蒙面男爵和北辰從大門正面突破，是

為了盡可能吸引更多黑手黨成員的注意。

「老大，是那金髮的殺手，他正帶著同伴襲擊大堂！」黑手黨成員致電請求更多支援，這正合北辰的意思。

「把那殺手活捉上來，其餘的不用留活口。」盧卡一聲令下，頂層的黑手黨成員都帶著槍械出發踏入升降機。

「潘小姐，我的酒店來了些不速之客，為了你的安全著想，唯有屈就你一下了。」盧卡打開一個比娜恩身高更高的黑色夾萬，被綁住雙手的娜恩只能聽令走入夾萬中，這是盧卡特別準備來運送娜恩的設備。

「辰哥，總統套房只餘下那大猩猩了。」西門學一直在對面大樓的屋頂，透過無人機監視酒店。

「露娜、露比，你們的位置呢？」蒙面男爵和四騎士一樣戴著無線耳機，這一次行動加上了男爵親衛隊的力量。

「報告男爵！我們已在機電房了！」所有人的目光都在正門的北辰等人身上，其他人便能順利從後門潛入酒店，包括露比和露娜。

「那就讓他們嘗試一下墮落深淵的滋味吧。」蒙面男爵露出狡猾的笑容。

隨著露比拉下操控桿，升降機便失控急速墮下，直至接近地面的瞬間，露比才把操控桿推回原位。

升降機門在大堂打開，那些經歷了從三十層樓高速墮下的黑手黨成員全都嚇得當場昏迷。

「阿東。」北辰和蒙面男爵為凌東提供掩護，

好讓他能直奔到升降機。

「小姐，我很快便會來到你身邊。」凌東把握機會跑到升降機，向娜恩所在的頂樓進發。

「現在只要確保沒有其他黑手黨到頂層支援就行了，佑南，你能辦得到嗎？」北辰已事先調查清楚，除了升降機外，酒店還有一條樓梯能往頂層。

「蕾安娜，你就幫你師弟一把吧。」蒙面男爵的貼身保鏢，蕾安娜和佑南正在同一位置。

「師姐，當日你為什麼會離開師門？又為什麼會跟隨蒙面男爵？我有太多問題想問你了。」佑南擺好姿勢，得知入侵者正前往頂層後，已有不少黑手黨成員從各個樓層向上出發。

「你已不是小孩子了，問題的答案便由你自己

找出來吧。只要你繼續留在潘娜恩身邊，真相終有一天會水落石出。」蕾安娜的武藝遠高於佑南，況家自古流傳的「馭火之舞」她已練得爐火純青。

　　兩個駕馭火焰的武術家堅守陣地，絕不讓敵人走過這條樓梯。此時此刻，凌東已到達頂層總統套房，和綁架娜恩的主謀正面交鋒。

CHAPTER 9

瞬間移動

　　漆黑的夾萬內娜恩伸手不見五指，在這狹窄的密閉空間內，娜恩感覺呼吸逐漸變得急促起來。

　　「不要⋯⋯」然而更糟糕的是，這樣的環境喚醒了娜恩內心深處的恐懼。

「不要⋯⋯再把我困住⋯⋯」呼吸困難，心跳加速，這是幽閉恐懼症的症狀。但娜恩不知道自己有這個病，她也未曾被單獨關在黑暗的密室裡，但被困在黑盒的感覺卻又多麼似曾相識。

這恐懼，不是屬於娜恩的，是屬於潛藏在娜恩體內的另一種東西。

黑星大酒店外，「芙蘿拉盜賊團」趁著形勢混亂從後門離開，鉅額報酬經已到手，她們只要逃離這城市，從此隱姓埋名便能安寢無憂，但薇芙卻停滯不前。

「薇芙，你為什麼在發呆？」莉莉幫忙把行李袋放到車上。

「那傢伙⋯⋯連正眼都不看我一眼。」盧卡輕蔑的態度，令薇芙耿耿於懷。

「錢已經到手了，還有什麼未解決嗎？」星兒已準備駕車離開。

薇芙回想起來，這如鯁在咽的感受，就像昔日三人還是小孩子的時候，被冷漠的大人輕視、利用，當做用完即棄的棋子。

「我們可是大名鼎鼎的『芙蘿拉盜賊團』啊……那胖子竟敢輕視我，隨隨便便打發我走？」薇芙愈想愈生氣，她們可是靠真材實料才在地下社會建立了今日的名聲。

「我要狠狠教訓那胖子一頓，他這麼想得到潘娜恩嘛……我就偏要從他手上搶走那丫頭！讓他知道我們三姐妹不是好欺負的！」薇芙和盧卡的交易已結束，接下來她要讓這無禮的大鱷嚐嚐激怒花之女盜團有多可怕。

「這樣才是我認識的薇芙嘛！我們可是盜賊啊！盜賊是不會遵守別人制定的規矩的。」星兒期盼已久，現在終於可以大鬧一場。

「薇芙……」莉莉欣喜的笑著，同樣身為女性，她不希望娜恩受傷害。

「你千萬不要誤會，我可不是同情那丫頭，我只是太討厭那胖子罷了。」薇芙沒有交出「白羊座的懷錶」，這是她在危急關頭用來脫身的秘密武器。

能追溯時間，傳送使用者回到過去身處的位置，這就是十二聖物中「白羊座的懷錶」的能力，只要用得其所，世上就沒有人能捉得住這班女盜賊。

總統套房內，凌東二話不說便向盧卡連開數槍，但對於皮韌肉厚的盧卡已言，這程度的攻擊實在不痛不癢。

「你是來拯救潘小姐的嗎？那班女賊真的太沒用了……竟連自己被人跟蹤也不知道。」巨大的盧卡輕輕鬆鬆便舉起了圓桌，擲向身形和他差天共地的凌東。

盧卡不只身形龐大，身手更遠比凌東想像的敏捷。凌東翻身避過圓桌，盧卡已縱身一躍來到凌東面前，他所揮出的拳擊有如炮彈般勁力十足。

「小姐，請你再稍等一下……」凌東雙手齊擋，衝擊力強大得令他急速退後。

「小保鏢沒有其他板斧了嗎？」凌東還未回復過來，盧卡的攻擊又再趕至，但在這千鈞一髮之間，薔薇飛鏢及時救了凌東一命。

「試試我特製的滿天星吧！」星兒是製造炸彈的專家，她向盧卡頭上擲出大量像小黃花的迷你炸彈。

薇芙借助聖物的力量，把莉莉和星兒也一同傳送回總統套房。

「芙蘿拉……」凌東十分意外，本是敵對關係

的女盜賊竟然倒戈相向。

「能打開這夾萬嗎？」薇芙留意到爆炸未能擊潰盧卡。

「給我五分鐘⋯⋯不，三分鐘就可以。」莉莉已著手嘗試，但盧卡絕不會袖手旁觀。

「想救潘娜恩的話便助我們一把。」薇芙向凌東說罷便奔向盧卡，她要為開鎖專家莉莉爭取時間。

「不能炸開夾萬嗎？那胖子很兇惡呀！」星兒方寸大亂，咬牙切齒的盧卡更令人毛骨悚然。

「不可以，這樣會傷及娜恩的⋯⋯」莉莉只能慢慢扭動夾萬的轉盤鎖。

「潘朵拉的力量是我的⋯⋯誰也休想搶走我的東西！」盧卡再次發起進攻，首當其衝的是迎面

而來的薇芙。

「芙蘿拉要偷走的東西，誰也阻止不了！」拳頭在快要觸碰到薇芙的瞬間，薇芙突然從盧卡眼前轉移消失。

利用「白羊座的懷錶」，薇芙能瞬間移動到幾秒前的位置，讓盧卡的攻擊一次又一次撲空，反之薇芙的荊棘長鞭已漸漸束縛起這龐然大物。

「那邊的帥哥，你還在等什麼？」薇芙的荊棘長鞭已捆綁住盧卡。

「其他人呢？我的手下到底在幹什麼？」盧卡開始意識到形勢不妙。

在出發之前，阿學把特別製作的銀色手槍交給凌東。

「這把槍只能打出一發子彈，雖然不會致命，

但威力足以令獅子猛獸也瞬間倒地，你要小心謹慎的使用啊！」阿學千叮萬囑。

「打開了。」莉莉成功打開了夾萬，滿頭大汗的娜恩終於重見天日。

「還給我！那是我的！」盧卡掙脫束縛，向娜恩奔跑過去。

「小姐是不屬於任何人的。」凌東拔出銀槍擋在娜恩前面，這一槍他有信心絕對不會打偏。

凌東扣下板機，電磁光束直射到盧卡身上，阿學為凌東準備的，是一支能把大象也電昏的電磁炮。

巨人盧卡再硬朗也不敵科學的力量，頭頂冒煙的他最終昏倒過去。

「小姐！」凌東馬上回到娜恩身邊扶住步履蹣

珊的她，虛弱的娜恩腦袋一片空白。

　　直升機已在露台外迎接凌東和娜恩，蒙面男爵早已為撤退做好準備。

　　「阿東，快和小姐一起過來，更多援兵在接近酒店了。」北辰等人雖然已掃蕩整幢酒店，但在這被黑手黨統治的城市，敵人數之不盡。

　　「你們⋯⋯要跟我一起走嗎？」薇芙等人總算為救娜恩出了一分力，恩怨分明的凌東不想棄她們不顧。

　　於是「芙蘿拉盜賊團」也跟上直升機，遠離這個罪惡城市。娜恩終於回到四騎士身邊，但經此一役，潛藏在娜恩身體內的某東西加速了覺醒，而這東西和十二聖物，更有著不可分割的關係。

CHAPTER 10

失而復得

　　貨櫃碼頭內，三個團隊準備在此分道揚鑣，這次四騎士欠了蒙面男爵和他的親衛隊一個很大的人情，但他不急著要娜恩償還。

　　「要守護娜恩，你們還是力有不逮呢……這一次的對手沒有傷害娜恩的意圖，娜恩才拾回一命，

我只怕你們不會每次也這麼幸運。」蒙面男爵看著

娜恩的睡臉，說罷便和親衛隊率先離開。

　　凌東看著懷中的娜恩，自從離開黑色夾萬後，

娜恩便開始一直昏睡。

　　「喂！會耍功夫的帥哥，接住！」薇芙向佑南

拋出一件物件。

　　「這是……懷

錶？」佑南不知道

這是千金難求

的寶物。

　　佑南不

知道，但北辰

十分熟悉，這曾經是

屬於璉娜的東西。

「這是十二聖物中的其中一件，你是怎樣得來的？」北辰殺氣騰騰，他懷疑眼前的薇芙就是殺害她妻子的兇手。

「你冷靜一點……這只不過是我順手牽羊偷來的，我那時候也不知道這就是十二聖物。」薇芙不知道為何北辰這麼憤怒。

「順手牽羊？快把事情的來龍去脈從實招來！」北辰亮出小刀威嚇著說。

「是我在一家酒吧偷走的，那是我常光顧的酒吧，某天那裡來了一群穿著奇怪制服的客人，他們像是在悼念某人一般，難過的喝著酒……最後每一個也喝得酩酊大醉。」薇芙回憶著說。

「制服？是怎樣的制服？」阿東問。

「唔……像是科學家？研究員？總之他們都穿

著相同款式的長袍啦！」薇芙沒有特別留意，偷取懷錶也只是貪圖一時之快，那時候她對十二聖物的事還一概不知。

「是考古團隊……」北辰聯想到大合照中的制服，這和他所推測的兇手特徵吻合。

「這東西是十二聖物之一，你真的願意平白送給我們嗎？」佑南問。

「我已從盧卡那裡拿了足夠我們慢慢揮霍的金錢，我不想再捲入和聖物有關的事了。」薇芙能想像到只要聖物在手，必然會引來爭奪聖物的人，甚至招致殺身之禍。

「聖物也好、潘娜恩也好，這些都是不吉利的東西，你們好自為之吧！」薇芙燒毀古董店的目的，是毀滅她們在奈落街的身份記錄，現在世上

已沒有人知道「芙蘿拉盜賊團」的真正身份,她們便可以帶著財富過自由自在的過新生活。

無論如何,四騎士這次也算是因禍得福,娜恩安全回到他們身邊、被搶走的聖物失而復得,還額外得到「白羊座的懷錶」,十二聖物中的其中四件已到手,他們的奪寶旅程亦已完成三分之一。

古老大宅內,娜恩足足昏睡了兩天才醒來,擔心不已的四騎士通宵守候,凌東、佑南和阿學不知不覺在娜恩床邊熟睡了。

「小姐,你終於醒來了。」北辰剛好為房內的花瓶換上新的鮮花。

「我被關在夾萬的時候,聽到凌東在呼喚

我⋯⋯」娜恩在恐慌中依稀記得那親切的聲音。

「大家為了你傾盡全力，甚至連蒙面男爵也親身上陣。」北辰還未想通為何蒙面男爵會對娜恩這麼執著，這單純只是互惠互利的合作關係嗎？

「小姐，我有事情需要向你坦白。」北辰不想再繼續隱瞞。

於是北辰把自己的過去，包括他的真實身份，和帶著目的接近娜恩的事，如實相告。

「如果小姐你想我永遠在你面前消失，我亦甘願接受。」北辰低下頭說。

「無論出於什麼原因，這段日子以來你盡心盡力守護著我，是不爭的事實。」娜恩表現得十分冷靜。

「殺害璉娜小姐的人，很有可能和我父親的

死有莫大關係……而這些人也知道十二聖物的存在。」娜恩意識到和她父母關係密切的考古團隊，有著相當重的嫌疑，但無論是凌東的養父，還是佑南的父親，大合照上的人現在也失去蹤影。

「只要繼續收集聖物，我相信我們會找出想要的答案；你願意在往後的日子裡，繼續像過去一樣，守護我嗎？」這次不再是透過陌生人的信件，而是由娜恩親自委托。

「我定必竭盡所能，確保小姐的周全。」北辰以自己真實的一面，來接受四騎士的身份，他不再是來代替璉娜的人。

「怎麼辦？他們一臉認真……我們是不是該繼續裝睡？」佑南其實早已醒來。

「不知道……我們好像錯過醒來的時機了。」

凌東也一樣。

「那就繼續睡吧……娜恩小姐的房間有股好香的氣味。」阿學倒是想繼續抱頭大睡。

「你們不用裝了，別阻礙小姐休息，出來！」北辰笑著說。

守護娜恩的四騎士依舊齊齊整整，但他們的牽絆變得更加緊密，隨著聖物收集的數量愈來愈多，娜恩愈來愈接近父母死亡的真相。

精神病院內，蒙面男爵再次來探望病人，經過上一次他吹笛「雙魚座的魔笛」後，患者的神志開始回復清醒，身體狀況也大有好轉。

「你還記得是誰吹奏魔笛，害你們精神失常

嗎？」蒙面男爵問。

「是潘老爺⋯⋯他把和考古團隊有關的人員聚集起來，然後⋯⋯我就聽到魔笛的聲音。」每一個病人也給予蒙面男爵同樣的答案。

「這張相片上的其他人呢？他們不在這精神病院嗎？」蒙面男爵也有一張和地下室相同的大合照。

「沒有，當日他們並不在場。」病人搖搖頭說。

「事情變得麻煩起來了呢⋯⋯」蒙面男爵比娜恩更接近真相。

到底十二聖物是什麼？娜恩體內的災厄又從何而來？唯有集齊散落的碎片，娜恩和四騎士才能看清全貌。但在她們尋找真相的同時，亦有人對真相毫無興趣，只想藉此達成背後目的。

下期
預告

ISSUE 5

處女座的香水
&
山羊座的面具

娜恩和四騎士的身份在地下社會曝光，
十二聖物的爭奪戰轉移到校園，
發動襲擊的竟是娜恩認識的人。
西門學找回遺忘的記憶，
原來他小時候早已接觸過十二聖物，
那令他受盡折磨的聖物再次出現在他面前。

2024年初夏出版

編按：下期售價將調整至 $78。

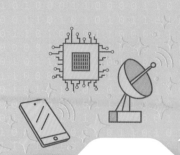

童話夢工場

十萬個 IT科技 為什麼

你真的懂科技嗎？

2024
STEM問答比賽

香港電腦教育學會

×

CREATION CABIN
創造館

B.Duck™
© 2005, 2023 SEMK PRODUCTS LIMITED

主辦　　　　　　　　　　　　贊助

比賽日期　**2024年1月15日至28日**

參賽資格　**全港小學生**

活動詳情　https://subscription.creationcabin.com/stem2024/

公開組　　**ITCA組**　ITCA學生如獲冠亞季軍或優異獎，
將可豁免銀章的專題研習考核。

各組別均設冠軍、亞軍、季軍及優異獎。

獎品

★ **冠軍**　1名　$500創造館書券 ＋ B Duck 文具禮包

★ **亞軍**　1名　$300創造館書券 ＋ B Duck 文具禮包

★ **季軍**　1名　$200創造館書券 ＋ B Duck 文具禮包

優異獎　5名　圖書一本（價值$88）

花樣

創造館 青少年圖文小說

文 — 陳四月
圖 — 多利

文 — 卡特
圖 — 魂魂Soul

文 — 陳四月
圖 — 余遠鍠

文 — 謝鑫
圖 — Mimi Szeto
（司徒恩翹）

文 — 三聯幫牟中三
圖 — 力奇

經已出版

綠野仙蹤
奇幻物語

經典文學鉅著重新編著

耿啟文 × Knoa Chung

幽默演繹　　　　清新畫風

驚險迷路換頭記

前往奧茲國的路上，
桃樂絲遇見源源不絕的新奇人事，
一次又一次展開多姿多采的旅程！

1-4期
經已出版

各大書局現已有售

白羊座的懷錶 ④

Follow 我們 …

Instagram

facebook

作者	陳四月
繪畫	魂魂 SOUL
策劃	余兒
編輯	小尾
設計	Zaku Choi
校對	Eva Lam
出版	創造館 CREATION CABIN LIMITED 荃灣美環街 1 號時貿中心 604 室
電話	3158 0918
聯絡	creationcabinhk@gmail.com
發行	泛華發行代理有限公司 將軍澳工業邨駿昌街七號二樓
印刷	高科技印刷集團有限公司
出版日期	2023 年 12 月
ISBN	978-988-70025-4-3
定價	$68

出版　 CREATION CABIN

製作